9/24
STAND PRICE
$ 7.00

Monica S. Camin

Mi niñez fue tan pintoresca

My childhood was so colorful

Camin, Monica S.
Monica S. Camin. Mi niñez fue tan pintoresca = My childhood was so colorful
1a ed. - Buenos Aires: el autor, 2011. 128 p.; 30x24 cm.
ISBN 978-987-33-1221-2
1. Monica S. Camin. Obra Artística. I. Título   CDD 759.82

Fecha de catalogación: 22/09/2011

En la tapa / Cover:
Cuentos de hadas alemanes
Óleo sobre tela, 152x122cm, 2003

German fairy tales
Oil on canvas, 60x48", 2003

Diseño y producción / Design and production: **Leticia Stivel**

Edición de contenidos / Content editing: **Shir Ly Camin**

Fotografía / Photography: **Aaron Igler /Greenhouse Media**

Impreso en Argentina
Printed in Argentina
Octubre 2011 ©

Dedico este libro a mis hijos,
a mis nietos y a mis futuras
generaciones o almas gemelas,

para que les quede una historia.

I dedicate this book to my children,
to my grandchildren, and to my future
generations or soulmates,

so they can have a story.

Introduction

When my mother told me she was writing a book, I was skeptical. Her artwork was graceful, evocative, and deeply compelling; why explore a new medium? It took me a long time to understand that the book she was working on was itself a work of art.

The book you are about to read is not your typical art-book, artist's statement, or plot-driven autobiography. **My childhood was so colorful** is a personal memoir written in the elegant and discursive style of a woman who has managed to keep a sense of innocence, wonder and beauty in the way she approaches her work. The stories —told together with the paintings and sculptures they inspire— shape not only the artist's creative process, but give rise to questions about immigration and Diaspora, memory and inherited memory, and history as seen through the lens of cultural, familial and personal interpretation.

I welcome you to find yourself in Monica S. Camin's stories.

Introducción

Cuando mi madre me dijo que estaba escribiendo un libro me quedé perpleja. Sus obras de arte son gráciles, evocativas, profundamente conmovedoras; ¿qué necesidad había de ponerse a trabajar en un medio tan distinto? Me llevó mucho tiempo entender finalmente que este libro era en sí una nueva obra de arte.

Lo que ustedes leerán no es el típico libro de arte; tampoco se trata del testimonio de la artista, ni de una autobiografía con un argumento lineal. **Mi niñez fue tan pintoresca** cuenta, en un estilo elegante y conciso, las memorias de esta mujer que ha logrado conservar el sentido de la inocencia, el asombro y la belleza en la forma en que encara sus obras. Los relatos —acompañados por las pinturas y esculturas inspiradas por ellos— no solo delinean su proceso creativo, sino que provocan interrogantes acerca de la inmigración y la Diáspora, la memoria y los recuerdos heredados, y la Historia interpretada a través de una mirada cultural, personal y familiar.

Quedan invitados a encontrarse a ustedes mismos en las historias de Mónica S. Camin.

Statement

To define my work I should define myself.
I'm the sum of the sun, the earth, the wind
and the water.
History is in my bones.
I face North, South, East and West.
I can feel my breathing and the sound of my heart.
I'm the Earth.

M. S. Camin

Testimonio

Para definir mi trabajo debería definirme a mí misma.

Soy la suma del sol, la tierra, el viento y el agua.

La Historia está en mis huesos.

Confronto el Norte, el Sur, el Este y el Oeste.

Puedo sentir mi respiración y el latido de mi corazón.

Soy la Tierra.

M. S. Camin

What prompted me to write about my work?

Whenever I am offered headphones in a museum, or every time I read a book or watch a movie about a person's life, I wonder how much is true. Given the possibility that someone might invent something about me, I'd rather tell my truth with my own words. Naturally, truth is always relative, but at least this will be MY relative truth.

I will start with my formative years, which continue to inspire me to this day.

As I always say, my childhood was very colorful. One evening, my sisters and I were chatting in the kitchen —I was about seven or eight and they were a few years older. The conversation was about who we imagined we might have been in past lives. My eldest sister was convinced that she had been Cleopatra or had at least lived in ancient Egypt. While my middle sister said she had participated in the Russian Revolution.

When it was my turn they both looked at me and I told them that I hadn't the faintest idea about who I had been; I had never heard of a past life, and the possibility had not even occurred to me. My father, who had been listening to our chat from the next room without us noticing, decided to stir our imagination and made his appearance covered in a white sheet, like a ghost. I was sitting with my back to him, but my sisters were horrified when they saw that white moving figure reflected in the hall mirror. The sobs and cries were so intense that my mother needed a long time to calm them, while I, who had not been affected at all, went on pondering on that other life I had never heard about.

Now I realize that that stupid question has accompanied me my entire life. I have spent much of my time searching for my roots.

A re-encounter with myself will define me from now on.

¿Qué me mueve a escribir sobre mis obras?

Cada vez que me ofrecen audífonos en un museo, o leo un libro o veo una película que habla sobre la vida de una persona, me pregunto cuánto habrá de verdad.

Y ante la posibilidad de que alguien pueda inventar algo sobre mí, prefiero contar mi verdad con mis palabras. Claro que la verdad es siempre relativa; pero, por lo menos, esta es MI verdad relativa.

Comenzaré por mi formación, que continúa inspirándome hasta el día de hoy.

Como siempre digo, mi niñez fue muy pintoresca.

Una noche, mientras hablábamos en la cocina con mis hermanas (yo tendría siete u ocho años y ellas algunos más), surgió como tema de conversación qué imaginábamos haber sido en vidas anteriores.

Mi hermana mayor estaba convencida de que había sido Cleopatra o de haber vivido en el Antiguo Egipto. Mi hermana del medio contó que había participado en la Revolución Rusa. Cuando llegó mi turno y ambas me miraron, tuve que decir que no tenía ni la más mínima idea de quién había sido yo en vidas pasadas y que ni siquiera se me había ocurrido que existiera esa posibilidad.

Mi papá, que escuchaba nuestra charla desde la otra habitación sin que lo supiéramos, decidió estimular nuestra imaginación y se nos apareció cubierto con una sábana blanca.

Yo estaba de espaldas, pero mis hermanas, al ver el movimiento de esa figura blanca que se reflejaba en el espejo del pasillo, se horrorizaron. Los llantos y los gritos fueron tan intensos que mi mamá solo logró calmarlos luego de un largo rato.

Mientras tanto, como no había sido afectada por lo sucedido, yo seguía pensando en aquella otra vida de la cual jamás había escuchado hablar.

Hoy me doy cuenta de que esa estúpida pregunta me siguió toda la vida.

Me lo he pasado buscando mis raíces.

De ahora en adelante me definiré como reencuentro conmigo misma.

Llegando así al nacimiento de esta obra:

Pasado: Creación del mundo.
Presente: Clonar, no raíces (o tal vez sí).
Futuro: Consecuencia del presente.

Se observa el límite extremo al que se llega a través
de la manipulación genética y la clonación: piezas
sueltas tomadas de aquí y de allá para formar una
nueva entidad.
Me remito a mis propias preguntas de la
adolescencia, para las que aún hoy no tengo
respuesta: de dónde venimos y hacia dónde vamos.

Thus giving birth to this piece:

Past: Creation.
Present: Cloning, no roots —or maybe there are.
Future: Consequence of the present.

A contemplation on the cutting edge science of
gene manipulation and cloning: pieces taken
from here and there to make up a new whole.
Referring to my childhood memory, again I
ask where did we come from and where are we
going, because I haven't the faintest idea.

Tengo tantas preguntas
Óleo sobre tela, 162x135cm, 2002

I have so many questions
Oil on canvas, 64x53", 2002

The way I want to remember.

En mi vida he pasado por muchas etapas diferentes. Lo que queda de ellas son algunas memorias. Probablemente, lo que recuerdo —y cómo lo recuerdo— es producto de mi elección. De esto nace la obra **La manera en que quiero recordarlo**, en la cual pongo énfasis en círculos, como tiempo determinado, y me muestro como una infante, dándome cuenta más tarde de que, en realidad, me ubico en el papel de observadora.

I have gone through many different stages of life. What remains of each are some memories. Thinking of my past is a selective experience —regarding that which is remembered and the way in which it is remembered. This way of thinking inspired the piece **The way I want to remember**, wherein I emphasize a determined time with circles and I present myself as a young child. Only later did I realize that I placed myself in the role of the observer.

La manera en que quiero recordarlo

Óleo sobre tela, 173x163cm, 2000

The way I want to remember

Oil on canvas, 68x64", 2000

Vivencias

En **La manera en que lo he vivido** queda expresado lo colorida que fue mi vida.

Experiences

The way I lived it depicts my colorful life.

La manera en que lo he vivido
Óleo sobre tela, 152x122cm, 2003

The way I lived it
Oil on canvas, 60x48", 2003

I know that these written pages will stay like this forever. That is why I find it so hard to decide whether it is worthwhile writing about this. I also know that the way I express myself is important. That is why I am determined to tell everything the way I lived it. And retell History as a story:

There was once a man and a woman.

She was beautiful: blonde haired, blue eyed and sensual in appearance.

He was extremely kind-hearted, compassionate and completely enamored of her, until his very dying day.

She was his muse.

I recently discovered that he would draw her naked.

Even as a child he liked to draw, but life is distracting.

They married and had four children: three girls and one boy.

I am the third.

Sé que lo que escribo en estas páginas va a quedar así para siempre. Por eso me cuesta tanto decidir si vale la pena o no volcarlo. También sé que es importante la forma en que lo exprese. Por eso he decidido contarlo tal como lo viví. Y voy a relatar la Historia como si fuera un cuento:

Había una vez un hombre y una mujer.

Ella era hermosa, rubia, de ojos celestes y formas contorneadas.

Él era extremadamente bueno y estuvo completamente enamorado de ella hasta el último día de su vida.

Ella fue su musa.

Hace poco me enteré de que él solía dibujarla desnuda.

Le gustaba dibujar desde chico, pero la vida lo fue llevando por otros caminos.

Se casaron y tuvieron cuatro hijos: tres mujeres y un varón.

Yo soy la tercera.

I lived in a home where we always put a brave face on poverty. "Shall we eat cake or go to the movies?" The answer was always "the movies"!.

I was about four years old when this next character arrived. He was the one who left a great impression upon us, one of the most unforgettable.

He was a charming and handsome man, a high-roller, the center of attention, a flatterer, a liar. But in his way he was a good person. Profession: carpenter. He invented beds with six, seven and eight legs, which are still on the market today. He never finished projects on time due to a lack of money for wood, etc. Instead, he would find a nurse to wrap his arm or leg in a splint. This is how he justified the delays for months. Meanwhile, he would bet the down payment on horse races.

But this was not his only career. He was also a thief. He worked with a team of friends who stole merchandise from cargo trucks making a delivery.

I would not be telling all of this if this past that I call so colorful hadn't developed in me a sixth sense. Already as a young girl I knew if someone was following me. If an undercover police officer was hiding around the corner of our house waiting, I would return home immediately and divulge.

This gave us time to hide the fugitive carpenter in the attic during the day and sneak him out at night, dressed as if he were my father. My mother, my brother, my sisters and I would walk with him down the street as if we were an ordinary family. And softly we would sing: "Avanza el enemigo a paso redoblado..." ("The enemy advances, march double-time..." a popular military song in Argentina).

Among the stolen goods that appeared in my house, I remember nylon stockings or pieces of high quality fabric for men's suits. A girl called Mirta who lived with us for some time made skirts out of that material for my sister and me. At that time, tight fitting skirts were in fashion. They were so tight that getting on a bus was a rather complicated task: first hold on to the handrail, and then pull with both arms to raise your body sideways, one leg crossed over the other.

Other things come to my mind, too: a beautiful dress that was made by Señora Lina (a dressmaker and good companion who lived near our house) and a doll my niece Elizabeth got as a present and which was christened Pamela Camión (which means *Pamela Truck* in Spanish).

Viví en una casa en la que a la pobreza se le ponía buena cara. Ante la pregunta "¿comemos torta o vamos al cine?", siempre la respuesta era "¡al cine!".

El primer personaje que entró en nuestra casa llegó cuando yo tenía alrededor de cuatro años. Nos dejó una marca muy profunda, uno de los recuerdos más persistentes. Era un hombre buen mozo, petitero, comprador, adulador, envolvente, mentiroso pero buena gente. Era carpintero de profesión. Inventó las camas con seis, siete y ocho patas que se siguen usando hoy en día. Nunca lograba terminar los trabajos que le encargaban en el plazo estipulado porque se gastaba el adelanto en las carreras de caballos; pero siempre encontraba una enfermera que le enyesara un brazo de modo de tener una buena excusa para dilatar el trabajo durante meses. Ser carpintero no era su única ocupación; también era ladrón. Se juntaba con un grupo de amigos con quienes salía a robar la mercadería de los grandes camiones de reparto.

Aquellas vivencias que tuve con este personaje en el pasado tan colorido del que hablo me ayudaron a desarrollar un sexto sentido. Desde chica adquirí la capacidad de darme cuenta de si me estaban siguiendo. Si veía a un hombre sospechoso parado en la esquina de casa, ya sabía que se trataba de un policía de civil en busca del carpintero prófugo; entonces, entraba disimuladamente y avisaba del peligro. Esto nos daba tiempo a esconderlo en el ático de la casa durante el día. Luego, por la noche, lográbamos sacarlo de la casa vestido con la ropa de mi papá, caminando con mi madre y hermanos como cualquier familia normal, cantando bajito: "Avanza el enemigo a paso redoblado…"

De la mercadería robada que aparecía en mi casa, recuerdo algunas piezas: medias de nylon o telas de muy buena calidad para confeccionar trajes de hombre. Una chica llamada Mirta, que vivió con nosotros durante un tiempo, nos hizo a mi hermana y a mí una pollera con estas telas. En aquella época se usaba un modelo recto tan ajustado que para subir al colectivo era necesario efectuar una maniobra complicadísima: agarrarse del pasamanos, cruzando una pierna sobre la otra, y así elevar el cuerpo con la pierna de costado, ayudándose con los brazos.
También vienen a mi mente un vestido muy bonito que me hizo la señora Lina —una costurera muy compañera y confidente de vida que vivía atrás de casa— y una muñeca bautizada con el nombre de Pamela Camión que recibió mi sobrina Elizabeth.

I have often wondered why we put up with that carpenter at home.
The reason may be that he was a very charismatic manipulator.
He taught my parents a system that would supposedly allow them
to break the bank at the roulette table. They would practice in the
kitchen for months. However, when they tried to put it into practice at
the Casino in Mar del Plata, they would lose the little money they had,
and then blame one another for not having brought more cash.
Finally, as expected, the carpenter ended up in jail.
Some time later it was said that when he left prison, he moved to
the countryside where he eventually became the head of the Police
Department.

The period when the carpenter came to live with us affected my
father very deeply. He had a nervous breakdown and suffered from
depression, so he decided to go to Cordoba for a few months. In fact,
he left for a long time. It was there that he learned copper embossing.
He made embossed copper works and my mother sold them. She was
a remarkable sales woman. Nobody could have done it better.
The carpenter was no longer allowed at home, whereas other people
in need of a home and food were warmly welcome.

Muchas veces me he preguntado por qué se toleraba la presencia del carpintero en mi casa. Es que se trataba de un personaje tan carismático como manipulador.

Enseñaba a mis padres a jugar a la ruleta con un sistema con el cual supuestamente podrían hacer saltar la banca. Este sistema se practicaba en la cocina de mi casa durante meses y meses. Por supuesto, al tratar de ponerlo en práctica en el Casino de Mar del Plata, perdían la poca plata que habían juntado y se echaban mutamente la culpa por no haber ido con un capital mayor. Finalmente, como tenía que ocurrir, el capintero terminó preso. Tiempo después se comentó que, al salir de la cárcel, se fue a vivir al interior del país, donde terminó como Jefe del Departamento de Policía.

Toda esa época en la cual el carpintero vivió en nuestra casa afectó muy profundamente a mi padre. Vivía nervioso y cayó en un estado depresivo; entonces, decidió ir a Córdoba durante algunos meses —en realidad, fueron muchos, no recuerdo cuántos— y allí aprendió a repujar el cobre. Él creaba los cuadros y mi madre los vendía. Era una excelente vendedora, y no creo que nadie hubiera podido hacerlo mejor. Para ese entonces, al carpintero ya no se le permitió la entrada a casa. Sin embargo, otras personas que llamaban a nuestra puerta seguían siendo acogidas, por la simple razón de que les faltaba techo y comida.

While I was writing this book, I left a space for the piece **How is my Painting?** which would be described through a conversation with my daughter, Shir Ly.

She recently received a Masters in Museum Studies. The thesis she wrote is entitled *A New Democracy Project: Museums Making Contemporary Art Exhibitions Matter.*

The day of her graduation she gave me a copy of her thesis to read. As I read it, after a few pages I found in the text precisely a description of the piece I had chosen for us to discuss. Thus, I decided to use her own words:

> My mother is an artist. Through her work I have
> discovered the tales of my multi-ethnic past.
> It was in reading the stories of my ancestors
> recreated in her work that I discovered the frame
> work of my own identity, a history rich in cultural,
> national, and human experiences as told by my
> mother through her paintings and sculptures.
> **How is my painting?** is of my mother as a child
> facing her parents while holding her painting behind
> her back.
> She and I discuss many of her works at great length,
> but we skim over this piece, simply acknowledging its
> multiple layers.
> For me, this painting reveals the strength art has to
> transcend language. It simultaneously reminds me
> of the importance of the questions —questions that
> resonate today— as I examine my relationship with
> art and its relevance in the social fabric of my life, as
> a storytelling device and as a cultural mediator.
>
> Shir Ly Camin
> April, 2005

Para describir la obra **¿Qué les parece mi pintura?** había pensado originariamente en inter-
cambiar ideas con mi hija Shir Ly y usar lo que surgiera de esa conversación. Ella acababa
de obtener un Master en Museología y su tesis fue *Un nuevo proyecto democrático: el papel
del museo dándole importancia a las exhibiciones de arte contemporáneo* (*A New Democracy Project:
Museums Making Contemporary Art Exhibitions Matter*). El día de la entrega de diplomas, me
dio a leer su tesis y en una de sus páginas encontré que ella había elegido hablar de este
mismo cuadro. Su descripción de la obra era exactamente lo que yo esperaba obtener de
una charla con ella, por ello decidí transcribir sus propias palabras:

Mi madre es una artista. A través de sus obras
descubrí los relatos de mi pasado multiétnico. Fue
leyendo las historias de mis ancestros recreadas en
sus trabajos donde descubrí la matriz de mi propia
identidad. Una historia rica en experiencias cultura-
les, nacionales y humanas expresadas por mi madre
por intermedio de sus cuadros y esculturas.

¿Qué les parece mi pintura? muestra a mi madre
como una niña ante sus padres, sosteniendo su pintura a sus espaldas.

Ella y yo conversamos muchas veces y extensamente
sobre sus trabajos, pero siempre evadimos esta obra
en particular, entendiendo sus múltiples capas.

Para mí, esta pintura revela la fuerza trascendental
del arte que traspasa el lenguaje verbal. Simultánea-
mente me hace recordar la importancia de preguntas
—que resuenan hasta el día de hoy— cuando exami-
no mi relación con el arte y su relevancia en el ámbito social de mi vida, como medio de comunicación y
mediador cultural.

Shir Ly Camin
Abril, 2005

¿Qué les parece mi pintura?

Técnica mixta sobre tela,
152x122cm, 2001

How is my painting?

Mixed media on canvas
60x48", 2001

How is my Painting

Another image from the past is that of my mother and her mania for mass production. Whenever she did something it was always in great quantities. I particularly remember the cakes she made. They were all alike. As she baked them, one after another, she scattered them around the house, on the shelves in the dining room, on the table, on the TV set, on the refrigerator or in the bookcase. Those days we would eat only cake! They did not last long though.

One day she brought us at least a dozen pair of shoes. I can't recall whether she got them as payment for my father's artwork, for merchandise or repayment of a debt, or simply because they were cheap. But I remember lots of shoes untidily scattered along the entrance hall (I would have placed them in a row in perfect order). She said: "They are all for you, just choose!" Our unanimous question was: "How do you know they will fit us?" At that time, the possibility of exchanging or returning a purchase was nonexistent. It did not matter whether they were big or small, nice or ugly.

I also remember going for long walks on very hot days. When we saw other children eating ice cream we would beg our mother with pleading looks. She would say "Use your imagination and pretend you are eating ice cream." I find it awesome to be able to use your mind in that way.
I still use that resource when I want to find out what I really want to eat, or even to feel satisfied without having eaten at all!

I also have unforgettable memories of my father. For instance, I remember he used to put chocolate in my mouth when I was asleep, just to watch my delighted countenance while tasting it. The following morning, when he would tell me what he did I would be furious for not remembering how I had enjoyed that moment.

Once I went with him to exchange his embossed copper works for cakes stuffed with cream, caramel spread, and fruits!

Otra imagen de mi pasado es la de mi mamá y su manía por las grandes producciones. Cuando hacía algo siempre era en generosas cantidades.

Recuerdo especialmente las tortas. Las hacía todas iguales y, a medida que se horneaban, las diseminaba por toda la casa: sobre los estantes del comedor, sobre la mesa, encima del televisor, de la heladera, en la biblioteca. En esos días solo se comía tortas. Y no duraban mucho.

Un día nos trajo por lo menos una docena de pares de zapatos. No recuerdo si los había conseguido a modo de pago por pinturas de mi padre, por mercadería o por dinero adeudado, o si simplemente estaban muy baratos. Pero recuerdo que eran muchos, que los diseminó en el hall de entrada (no los ubicó en una fila ordenada, como hubiera hecho yo) y que nos dijo: "Son todos para ustedes, ¡elijan!". La pregunta unánime fue: "¿Y cómo sabés si nos van a entrar?" (en esa época no existía la posibilidad de hacer cambios o de devolver la compra). No importaba si nos iban grandes o nos quedaban chicos, si eran lindos o feos.

Otro de mis recuerdos son aquellas largas caminatas en días muy calurosos, cuando veíamos a otros niños tomando helado y mirábamos suplicantes a mi madre; entonces, ella nos decía: "Usen la imaginación y hagan como que están tomando un helado ustedes también". Me parece fascinante poder usar la mente de esa manera. Aún hoy acudo a este recurso para saber qué es lo que quiero comer realmente, o para sentirme satisfecha incluso sin haber comido.

También de mi padre tengo recuerdos imborrables. Me acuerdo, por ejemplo, de su costumbre de ponerme chocolate en la boca mientras yo dormía porque le encantaba ver mi cara de deleite al saborearlo. Claro que cuando, a la mañana siguiente, me contaba lo que había hecho, me enfurecía porque no podía recordar haber disfrutado de ese momento.

Y otro de mis recuerdos es haberlo acompañado a canjear sus cuadros de cobre por masas finas rellenas de crema, dulce de leche y frutas.

San Miguel de Allende, México

Llevaba más de veinte años de casada, tenía forjada una carrera y había criado dos hijos. Hasta ese momento, nunca había vivido sola. Fue así que en el verano de 2000 decidí viajar a la ciudad mexicana de San Miguel de Allende para tomar clases de moldes para esculturas y experimentar la libertad desconocida de estar sola. Sin embargo, sentí alivio cuando mi marido insistió en acompañarme hasta que consiguiera un lugar donde vivir.

Me alojé en una pieza de un pensionado que parecía estar siempre vacío. Fue un período de intensa vida solitaria. Allí nacieron dos esculturas, **Humano** y **Grito en silencio**, surgidas del horror de la soledad y del dolor de saber que mi padre estaba en sus últimos días de vida.

I had been married for over twenty years, I had a career, and I had brought up two children. Up until that moment, I had never lived alone. It was in the summer of 2000 that I decided to travel to the Mexican city of San Miguel Allende to attend a bronze-casting residency and also to experience the unknown freedom of being alone. However, I was relieved when my husband insisted on coming and staying with me until I found a place to live.

I stayed in a room at a boarding house that always seemed to be empty. It was a period of intense solitude. It was there that two sculptures were produced: **Human** and **Silent scream**, which emerge from the horror of loneliness and the pain of knowing that my father was in his last days.

Humano
Bronce, 33x20x23cm, 2000

Human
Bronze, 13x8x9", 2000

Grito en silencio

Bronce, 38x46x23cm, 2001

Silent Scream

Bronze, 15x18x9", 2001

La muerte de mi padre

Antes de morir, mi padre permaneció hospitalizado durante algunos meses. Durante este período, surgieron en mis pinturas muchos más personajes muertos que los que solían aparecer. Cuando me preguntaban qué andaba haciendo en esos días, respondía: "Estoy trayendo a todos mis antepasados a la Tierra". Incluso retraté a aquellos a los que no había conocido, pero de cuya existencia sabía. Esta es la razón por la que se ven imágenes de siluetas vacías mezcladas con los personajes que permanecen vívidos en mi memoria.

Los cuadros más directamente relacionados con la muerte de mi padre son:
Un lado del árbol
Yo condeno
Esperando al último hijo
El funeral
Lo que quedó
Don Quijote

My father's death

My father was hospitalized for a few months before he died. During this period the deceased became more prevalent characters in my paintings than in the previous ones. Whenever I was asked about my work in those days, I would reply: "I'm bringing my ancestors back to the Earth." I even portrayed the ones I had never met, but whose existence was familiar. This is the reason for the mingling of silhouettes with the characters that are still vivid in my mind.

The paintings that are directly related to my father's death are:
One side of the tree
I condemn
Waiting for the last son
The funeral
What's left
Don Quijote

Un lado del árbol
Óleo y fotografía, 61x92cm, 2003
One side of the tree
Oil and photography, 36x24", 2003

Vi a mi padre por última vez postrado en un hospital de Israel, conectado a máquinas y con tubos en la garganta. No podía comunicarse y en sus ojos se reflejaba el miedo. **Yo condeno** fue una respuesta ante dos cuestiones: su pérdida de dignidad y su muerte.

I saw my father for the last time in a hospital bed in Israel, connected to machines and with tubes going down his throat. He was unable to communicate and his eyes reflected fear. **I condemn** addresses two things: his loss of dignity and his death.

Yo condeno

Óleo sobre tela, 152x122cm, 2001

I condemn

Oil on canvas, 60x48", 2001

En este cuadro, hay una total toma de conciencia de la desaparición de una familia.

This painting expresses the complete disappearance of a family.

Waiting For The Last Son

Lo que quedó

Óleo sobre tela, 122x92cm, 2001

What's left

Oil on canvas, 48x36", 2001

El funeral

Óleo sobre tela, 152x122cm, 2001

The funeral

Oil on canvas, 60x48", 2001

Don Quijote

Óleo sobre tela, 152x122cm, 2001

Oil on canvas, 60x48", 2001

Esta serie progresa como el reflejo de la memoria perdida en el tiempo y la calidad de las elecciones de vida y sus alternativas, concluyendo con el punto rojo en el espacio que aparece en **Don Quijote**. El mismo punto que abre y cierra los ciclos de la vida.

This series progresses from a reflection of memory lost through time and space; quality of life options and alternatives; and concluding with the red point that appears in space in **Don Quijote**. It is the same point that opens and closes the cycles of life.

Esta obra proviene de un sueño que tuve.
En él aparecía mi padre postrado en una cama de hospital al aire libre. Junto a él estaba mi madre y ambos se reían a más no poder mientras señalaban un punto rojo, y mi padre decía: "Pensar que yo le tenía tanto miedo a la muerte, siendo que se trata tan solo de un punto; y este jamás desaparece".
Como animales pensantes que somos, lo desconocido nos produce conflicto. Interpreto a este punto como la información genética, que es lo que me ha dado la respuesta a la búsqueda de mis antepasados, a mi presente y a mi continuación en el futuro.
De todas formas, debo decir que, a pesar de este pensamiento racional, sigo creyendo en el carácter mágico de nuestra existencia.

This work comes from a dream I had.
In it, my father was in a hospital bed outdoors. My mother was beside him. They were laughing hysterically while pointing to a red dot, and my father said, "To think that I was so frightened of death, when it just comes down to a point that never disappears."
As thinking animals, what is unknown produces conflict. I interpret this dot as genetic information, which has given me the answer in this quest of my ancestors, to my present and my continuing future. However, I must confess that, in spite of this rational thought, I still believe in the magical character of our individual existence.

Es importante para mí incluir este cuento escrito e ilustrado por mi hija Shir Ly: **Atado a una soga.**

Esta historia proviene de lo que fue parte de la vida de mi abuelo. Antes de comenzar la Primera Guerra Mundial, él vivía respetando los preceptos religiosos del judaísmo. Luchó como soldado de Alemania y, al terminar la Guerra, su enfoque de la vida cambió totalmente. Después de haber visto tanta masacre, dolor y sufrimiento, no podía existir un Dios. Qué habrá pasado por su mente al confrontarse a una Segunda Guerra Mundial, la cual irónicamente apuntaba a su religión y lo despojaba de su supuesta Patria, por la que había arriesgado su vida.

La segunda parte de la historia refiere a su hijo mayor, mi padre, que murió con líquido en sus pulmones. Antes de su muerte, fue conectado a una máquina que le proveía oxígeno pero le obstruía la comunicación verbal. Sin embargo, logró hacerle entender a su esposa que el miedo a la muerte era perderla a ella. Cuando pienso en esto, me pregunto si en sus últimos momentos se dirigió a Dios.

It is important for me to include **Tied to a Rope**, a short story written and illustrated by my daughter Shir Ly.

The story refers to my grandfather's life, who was a devoted follower of the rules and demands of the Jewish religion. By the time WWI ended, his outlook on life changed completely. As a German soldier he witnessed so much death, devastation and grief, he felt it could not be possible for God to exist. What, then, might have gone through his mind when confronted with World War II, whose main target was the Jewish religion, depriving him of the land for which he had sacrificed his life. The second part of her story refers to his eldest son: my father. He died of fluid in his lungs. Before dying he was connected to a ventilator that provided him with oxygen, but blocked his capacity for verbal communication. However, he managed to make his wife understand that by dying, he was afraid of losing her. When I think about this, I wonder whether my father turned to God in his last moments.

La transcripción completa del cuento se encuentra en la página 66.
The short story is transcribed in full on page 66.

Tied to a Rope

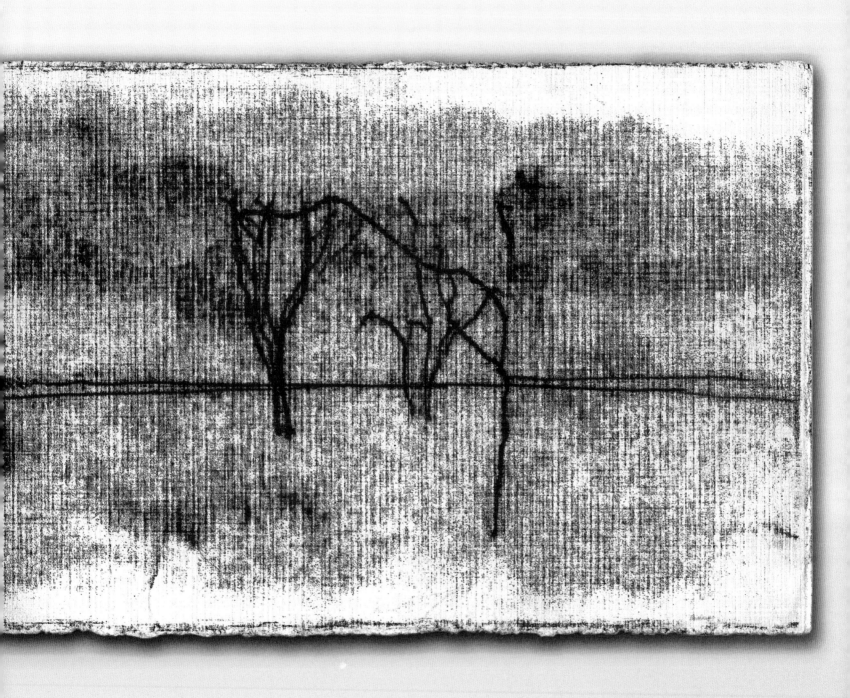

There once was a man who was so sure of his God
that he tied a rope around a tree on one end
and around his waist on the other.
The man would spend his days
no farther than the radius around the tree.

s o   s u r e   o f   h i

Every morning he'd have breakfast,

prepare his work utensiles,

go out to the tree,

and tie his rope.

God

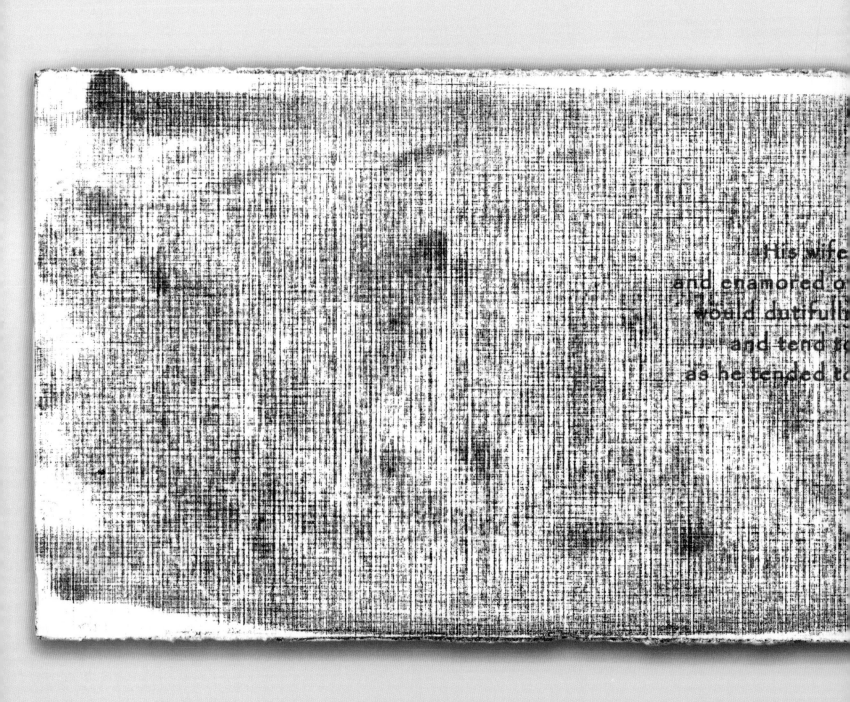

His wife
and enamored o
would dutifully
and tend to
as he tended to

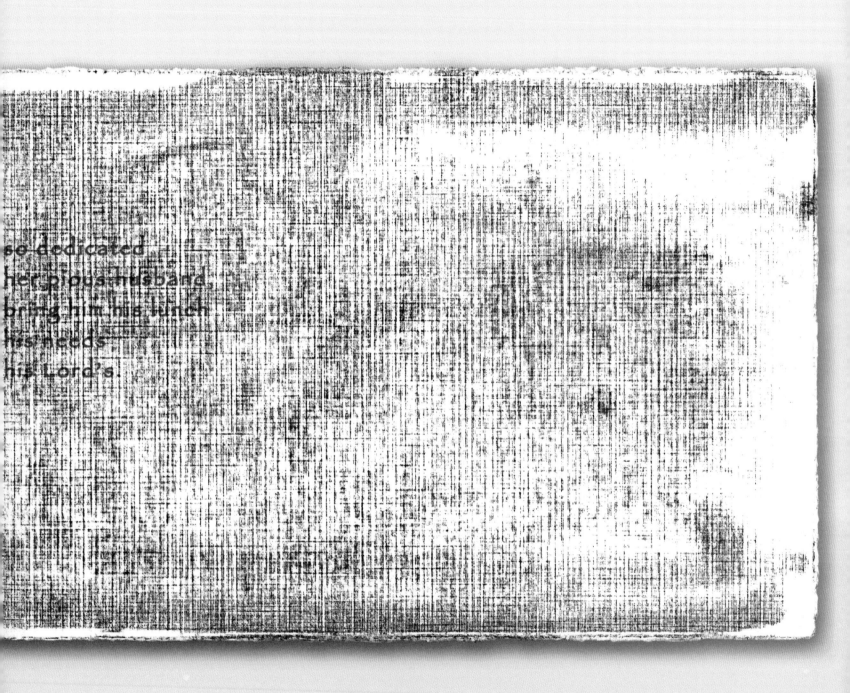

so dedicated
her pious husband,
bring him his lunch
his needs
his Lord's.

Uncertain and uncaring of why,
the children, a boy of eight and his brother, a toddler,
watched as their mother

who waited on the
who waited on the

man at the tree
Man in the Sky.

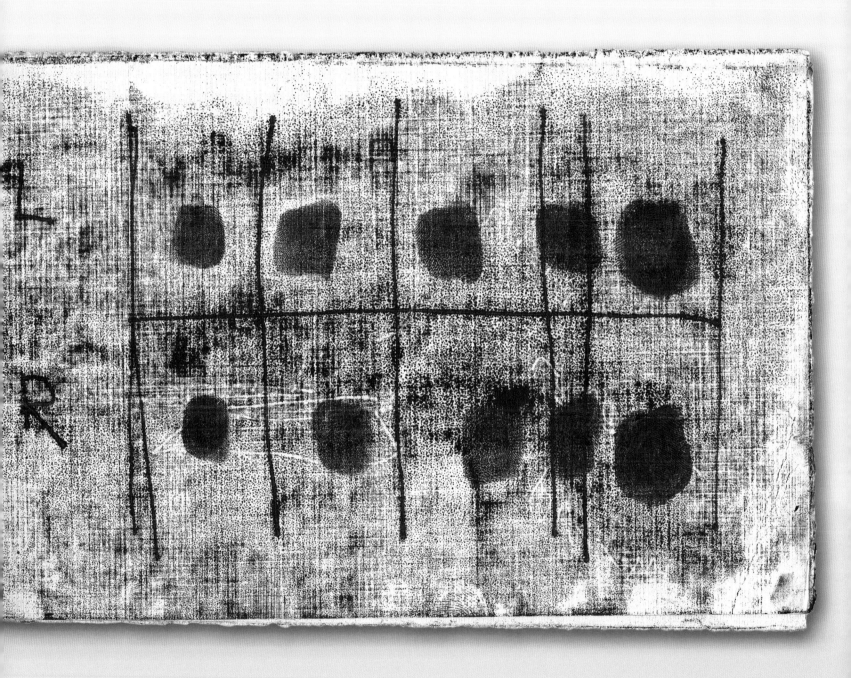

Seventy-two years later, the eight-year-old
was attached to a machine
that gave him breath
like his father years before,
before the war that robbed him of his faith,
to the tree that the eight-year-old had to leave
as the second war approached

Tied to that machine
which mercifully
kept him from drowning,

but only barely.

In those moments did he remember
his father tied to the tree?
Did that once-present faith he witnessed in his youth
return during those days in the bed
unable to speak
for the rope in his throat
that painfully fed him life?

Tied to a Rope

There once was a man who was so sure of his God
that he tied a rope around a tree on one end
and around his waist on the other.
The man would spend his days
no farther than the radius around the tree.

Every morning he'd have breakfast,
prepare his work utensils,
go out to the tree
and tie his rope.

His wife, so dedicated
and enamored of her pious husband,
would dutifully bring him his lunch
and tend to his needs,
as he tended to his Lord's.

Uncertain and uncaring of why,
the children, a boy of eight and his brother, a toddler,
watched as their mother
waited on the man at the tree
who waited on the Man in the sky.

Seventy-two years later, the eight year old
was attached to a machine
that gave him breath,
like his father years before,
before the war that robbed him of his faith,
to the tree that the eight year old had to leave
as the second war approached.

Tied to that machine
which mercifully kept him from drowning,
but only barely.

In those moments did he remember
his father tied to the tree?
Did that once present faith he witnessed in his youth
return during those days in the bed,
unable to speak
for the rope in his throat
that painfully fed him life?

Atado a una soga

Había una vez un hombre tan seguro de su Dios
que ató una soga alrededor de un árbol
y sujetó el otro extremo a su cintura.
El hombre pasaba sus días sin ir más allá
del perímetro determinado por el árbol.

Cada mañana desayunaba,
preparaba su herramientas de trabajo,
caminaba hasta el árbol
y ataba su soga.

Su esposa, tan dedicada
y enamorada de su devoto marido,
le llevaba el almuerzo diligentemente
y atendía todas sus necesidades,
así como él atendía las de su Dios.

Sin entender y sin importarles el porqué,
los hijos, un niño de ocho años y su hermanito,
veían a su madre
atendiendo al hombre en el árbol
que atendía al Hombre en el cielo.

Setenta y dos años después, el niño de ocho años
se encontraba conectado a una máquina
que lo hacía respirar,
como se encontraba su padre años antes,
antes de la guerra que le robara su fe,
atado al árbol que el niño debió abandonar
al aproximarse la segunda guerra.

Atado a esa máquina
que compasivamente
lo mantenía libre de ahogarse
aunque sólo a medias.

¿Recordaría en aquellos momentos
a su padre atado al árbol?
¿Acaso la fe que había presenciado en su niñez
retornó en aquellos días internado,
impedido de hablar
por la soga en su garganta
que dolorosamente lo alimentaba de vida?

Textos y monotipos de Shir Ly Camin
Filadelfia, 2004

Text and monoprints by Shir Ly Camin
Philadelphia, 2004

Ancestral stories

This was the beginning of a series in which the characters came back to life, even those who had died long ago. It expresses the connection between present and past. It was also the beginning of the inclusion of words on the canvas, shaping thoughts.

Whether painting or writing about a character, it is necessary to know him or her in depth and even inhabit the subject's life. A lot of protagonists appear in this series, most of them have already died. In the shape they take, the present and the absent become one, thus creating what I call a "magic existence."

Historias ancestrales

Este fue el comienzo de una serie en la cual los personajes volvían a nacer, incluso algunos que habían muerto siglos atrás. Expresa la conexión entre el presente y el pasado. Es el principio de la inclusión de palabras sobre el lienzo, plasmando pensamientos.

Tanto para pintar como para escribir acerca de un personaje es necesario conocer su vida en profundidad e incluso vivenciarla. En esta serie aparecen muchos, la mayoría ya desaparecidos. En la forma que toman, lo presente y lo ausente se vuelven uno, creando eso que yo llamo "existencia mágica".

Nunca me propongo un tema a seguir para realizar mis obras. Ellas nacen de una intensa necesidad interna y florecen a medida que voy pintando. Este proceso implica un enorme desgaste mental, espiritual y emocional; pero la finalización de ciertas obras es una instancia de completa satisfacción. Por supuesto que necesité pasar por esas etapas para descubrir estas sensaciones culminantes. Así, por su gran intensidad, me resulta imposible olvidar el momento en que fue sellada la obra **Pasaporte**.

I do not plan the subject matter of my works. They are born of a strong inner need, without a previously thought out subject, and they blossom as I carry on with the painting. This process entails an enormous mental, spiritual, and emotional effort, but the conclusion of some works is an instant moment of complete satisfaction. Naturally, I needed to go through those stages to discover such culminating feelings. Thus, for its great intensity, I find it impossible to forget the moment I sealed the piece **Passport**.

Esta obra surgió a partir de antiguas fotos familiares. Arriba, mi madre con 11 o 12 años de edad, todavía en Alemania. Abajo, yo a los 2 años y a la derecha, mi abuelo, a comienzos de la Primera Guerra Mundial.

This painting emerges from old family pictures. On the top, my mother still in Germany at age 11 or 12. Below, me at the age of 2, and on the right, my grandfather at the beginning of WWI.

Pasaporte

Óleo sobre tela y papel, 152x122cm, 2000

Passport

Oil on canvas and paper, 60x48", 2000

I was religious and I Lost it in World War I
I was german and I Lost it in World War II
the only Powerful image that's Left on me is a uniform.

MSJCamin
'04

Mi abuelo Samuel había participado en la Primera Guerra Mundial, donde se hizo de un muy buen amigo al que le salvó la vida en tres ocasiones. Más tarde, esta persona —a la cual jamás se refirió por su nombre— participó en la Segunda Guerra Mundial con un alto rango en la S.S. Fue él quien obtuvo los papeles para mi abuela y mi tío y quien, mientras tanto, les consiguió trabajo —en una fábrica de chucrut para mi abuela y de jardinero en un cementerio para mi tío.

Así es como llegaron a la Argentina en 1942. Pero, a pocos meses de establecidos, mi tío Rudolf, de solo 17 años, murió de polio durante la epidemia más grande que se haya desencadenado en el país. Y al año siguiente mi abuelo murió de cáncer.

Alguna vez le pregunté a mi padre si trataron de agradecerle a esa persona lo que había hecho por mi abuela y mi tío. La respuesta fue un rotundo NO, "porque así como los había salvado a ellos debió de haber asesinado a otras miles de personas".

My grandfather Samuel had taken part in the First World War, where he made a very good friend whose life he had saved on three occasions. Some time later this person —whose name he never mentioned— participated in the Second World War with a high rank in the SS. It was he who obtained the papers that would allow my grandmother and my uncle to leave. He also found them jobs —at a *Sauerkraut* factory for my grandmother and as a gardener in a cemetery for my uncle.

That's how they arrived in Argentina in 1942. But just a few months later uncle Rudolf, who was only seventeen, died from polio when a great epidemic broke out. My grandfather died of cancer the following year. Once I asked my father if they had ever thanked the person who had done so much for my grandmother and uncle. The answer was a flat NO, "because although he had saved them, he had also murdered thousands!"

Carta de presentación

Óleo sobre tela, 92x61cm, 2004

Presentation card

Oil on canvas, 36x24", 2004

My father, Herbert Schiff, left Germany with his father in 1938. They had a visa to go to Paraguay, but they stopped first in Argentina and there they stayed. Later on, in 1941, when it was practically impossible to leave Germany, his brother Rudolf, together with his mother Rosetta, traveled to Spain on the last ship allowed to depart. There they waited several months until they could board a ship headed to Buenos Aires.

My father was a passionate reader. I remember him reading all the time.
He was also very keen on philosophy. He used to write his thoughts on scraps of paper. My mother kept them and gave them to me after my father's death. I was surprised to realize that I could not read them as they were in German. When I asked my mother to translate them she said that it was impossible because they were too complex: *Hochdeutsche* ("high German"), such were her words. We're screwed!

Mi padre, Herbert Schiff, abandonó Alemania con su padre Samuel
en 1938. Tenían una visa para entrar en Paraguay, pero hicieron una
primera parada en la Argentina y allí se quedaron. Más tarde, en 1941,
cuando ya era imposible salir de Alemania, su hermano Rudolf junto
a su madre Roseta viajaron rumbo a España en el último barco al que
se le permitió partir. Allí debieron esperar varios meses hasta conseguir
embarcarse en otro buque con destino a Buenos Aires.

Mi padre era un apasionado por la lectura. Lo recuerdo leyendo constantemente.
También le gustaba mucho la Filosofía. Solía escribir sus pensamientos
en papelitos sueltos. Mi madre los guardó y me los entregó después
de la muerte de mi padre. Grande fue mi sorpresa al comprobar que
estaban en alemán y no podía leerlos. Al pedirle a mi madre que los
tradujera, dijo que era imposible porque eran pensamientos demasia-
do complejos: *Hochdeutsche* ("alemán de alto nivel"), según sus propias
palabras. ¡*Alles Schisse*!

La frase en inglés que aparece en la parte inferior de **Carta N°1** dice "Quién no ha pasado por esta vida sin sentir alguna vez el peso de todos aquellos que han muerto antes que nosotros y bajo las sombras de tantos quienes...". Habla del efecto que tienen en nuestra realidad actual las experiencias de vida y las acciones de nuestros ancestros y me hace reflexionar en cómo afectarán nuestras propias decisiones a las generaciones futuras. Esta obra fue inspirada por una historia familiar: la de dos primos separados por la Segunda Guerra Mundial. Uno de ellos (quien fuera mi tío) arribó a la Argentina, mientras que su prima terminó en Francia. Al tiempo de su separación, mi tío recibió una carta de ella donde abordaba temas profundos y en la que se despedía en alemán con las palabras: *Alles schisse, deine Elli*, que significan "Todo es una mierda, tu Elli".

Volví a escuchar esta frase muchas veces a lo largo de mi vida. Con esto en mente, escribí mi propia carta dirigida a un hermano imaginario, y de ahí surge **Carta N°1**.

In **Letter #1** I ask "Who hasn't passed through this life without feeling the weight of all those who have died before us and in the shadows of the many whom..." It speaks of the effect that our ancestors' experiences and actions have on our current reality, and begs the question of how our decisions will affect future generations.

The work was inspired by a family story of two cousins separated by Second World War. One of them (my uncle) arrived in Argentina, while his cousin ended up in France. Some time after their separation,
my uncle received a letter from her where she tackled deep subjects, ending with these words in German: *Alles schisse, deine Elli*, which mean: "Everything is shit, your Elli."

This phrase was heard around my house for many years. With this in mind, I wrote my own letter to an imaginary brother, from which **Letter #1** emerges.

Carta N°1
Óleo sobre tela, 152x122cm, 2001

Letter #1
Oil on canvas, 60x48", 2001

Dear Brother,   1-10-01
I'm Sending you This Letter To

In the name of civilization we killed the Indians

In the name of Science
we mess with Genes -
(ANDi) The First

Who hasn't passed through this life without feeling the weight of all those who
have died before us, and in the shadows of the many who

Alles SCHEISSE
DEINE ELLI

M°Comin
2001

This is the first painting where I ventured to dive into a world of memories. When I started it, I did not know why I was creating it. In fact, it did not seem to make much sense to try to catch the essence of those four siblings. I was definitely captured by the beauty of each one of them and by the story I am going to tell you.

Although the Second World War officially started in 1939, the persecution started many years before. These four siblings, one of whom is my mother, went to school in a village in northern Germany called Marienhafe, near the border of Holland. A law was instituted to demonstrate how the Jews did not fulfill the pure Aryan ideals. Hence, an anthropometric study was carried out at the school. They measured the head, nose, ears, height, color of the eyes, hair and skin, etc. The day came that they proudly announced that there was a family in that school whose features coincided exactly with the pure Aryan features that they believed expressed the beauty of its people. To everyone's shock they found that it was these four siblings. Needless to say, the school authorities stopped the assembly, whispering that the children were Jewish.

So every one was told to go back to their classrooms, the record was closed, and that was the end of it.

Hermanos

Óleo sobre tela,
152x122cm, 2000

Siblings

Oil on canvas,
60x48", 2000

Esta fue la primera pintura en que me aventuraría a sumergirme en un mundo de recuerdos. Cuando la comencé, no sabía por qué la estaba creando; en realidad, no parecía tener más sentido que el tratar de captar la esencia de estos cuatro hermanos. Definitivamente, me cautivaban la belleza de cada uno de ellos y la historia que refiero a continuación.

Aunque la Segunda Guerra Mundial comenzó oficialmente en 1939, en realidad la persecución ya se había iniciado muchos años antes. Por la época en que estos cuatro hermanos, uno de los cuales era mi madre, concurrían a la escuela en un pueblo del norte de Alemania llamado Marienhafe, cerca de la frontera con Holanda, había salido un decreto que establecía la necesidad de demostrar que los judíos no cumplían con las ideales proporciones arias. Por lo tanto, en la escuela se llevó a cabo un riguroso estudio antropométrico de los alumnos. Se tomaron medidas de cabeza, nariz, orejas, altura; se registró el color de ojos, del pelo y de la piel, etcétera. El día que vinieron a anunciar con orgullo que en la escuela se encontraba la perfecta familia que coincidía con las características de los arios puros que expresaban la virtuosa belleza de su pueblo, la sorpresa y el revuelo fueron enormes: se trataba de esos cuatro hermanos. Por supuesto, las autoridades del colegio pararon a la delegación en seco y, por lo bajo, les dijeron que se trataba de una familia judía.

Mandaron a todos a sus aulas y cerraron el acta.

Man made

En este grupo de pinturas me dediqué a explorar las actitudes humanas.

In this group of paintings, I dedicated myself to an exploration of human attitudes.

En **Naturaleza creada por humanos** se puede observar cómo los seres humanos distorsionamos la naturaleza: enjaulamos a los animales, construimos criaderos, desarrollamos alimentos artificiales. Alteramos todo lo que tocamos.

In **Nature by humans**, one can observe how human beings distort nature, cage animals, build feeding lots, and develop genetically modified food. We alter whatever we touch.

Naturaleza creada por humanos

Óleo sobre tela, 152x122cm, 2006

Nature by humans

Oil on canvas, 60x48", 2006

De aquí, se llega a la escultura **Humano**, donde expreso lo que poseímos un día y que desapareció con el "progreso".

This leads us to the sculpture **Human**, where I express what we once possessed and was swept away by "progress".

Humano (instalación)

Bronce y madera,
tamaño variable, 2000

Human (instalation)

Bronze and wood,
variable size, 2000

A esta serie también pertenecen las obras:

This series also includes the following pieces:

Muro de los lamentos
Óleo sobre tela, 152x127cm, 1999

Wailing wall
Oil on canvas, 60x50", 1999

Ciudad desnuda

Óleo sobre tela y técnica mixta,
152x122cm, 2001

Naked city

Oil on canvas and mix media,
60x48", 2001

9-11

Óleo sobre tela,
152x122cm, 2001

9-11

Oil on canvas,
60x48", 2001

En el estudio

Óleo y papel sobre tela,
152x122cm, 2001

In the studio

Oil and paper on canvas,
60x48", 2001

Carta N°2

Óleo sobre tela, 122x122cm, 2001

Letter #2

Oil on canvas, 48x48", 2001

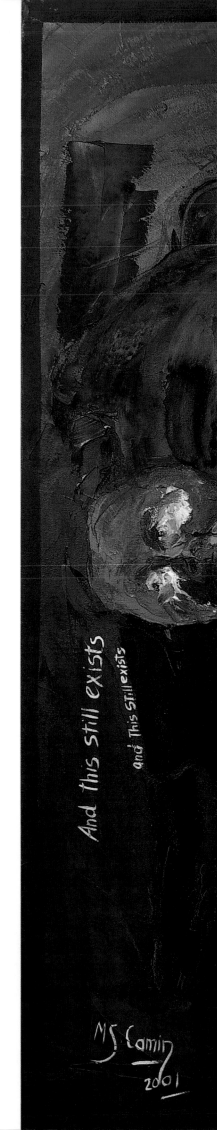

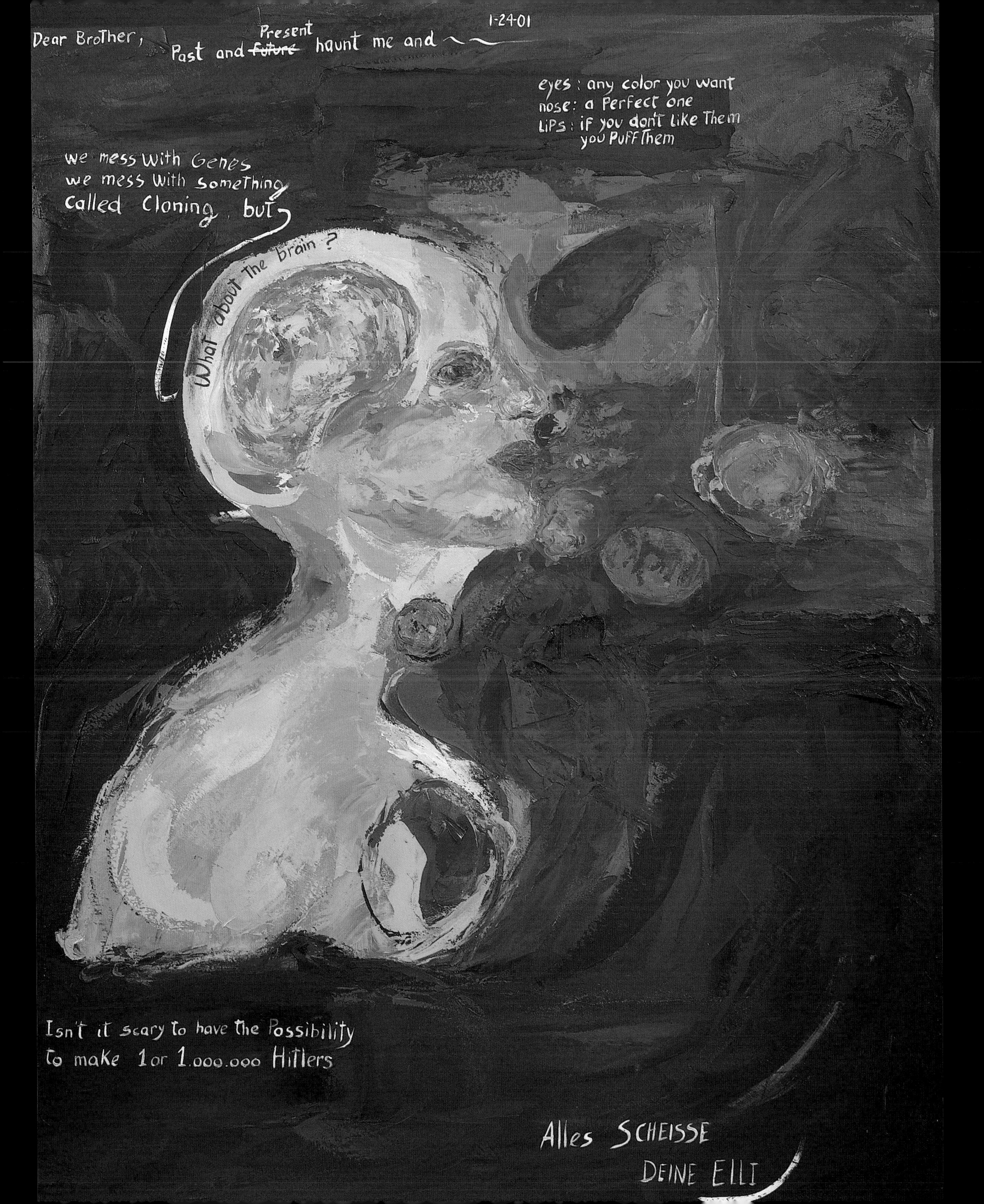
1-24-01
Dear Brother,
Past and ~~future~~ Present haunt me and
eyes : any color you want
nose: a Perfect one
LiPs : if you don't Like Them
you Puff Them
we mess with Genes
we mess with something
called Cloning, but
What about the brain ?
Isn't it scary to have the Possibility
to make 1 or 1.000.000 Hitlers
Alles SCHEISSE
DEINE ELLI

Trabajo actual

Un día me propuse empezar a crear pinturas en un tamaño más reducido, pensando en facilitarles la vida a mis hijos cuando reciban todas mis obras. Pero, ¡qué ingenua fui al pensar que, en el proceso de la creación, podía restringir mis ideas y controlar el espacio físico en que se expresan!

Me resulta sumamente difícil pintar sobre un lienzo pequeño. Por otro lado, cuando esculpo siento que me hace falta el color y cuando pinto busco el volumen. Estos tres factores —el espacio, el color y el volumen— me impulsaron a pensar en tallar yo misma los marcos de mis obras y a convertirlos en una extensión del cuadro.

El hecho de visualizar algo nuevo alimentó mi sangre y mi mente.

Current work

The motivation for this recent body of work was inspired from considering the legacy (or burden) I leave with my children. I decided to work this package of paintings and sculptures on a smaller scale so it would be easier to store.

How naïve of me to think that when it comes to art, I could restrict my ideas and control the physical space in wich they express themselves!

To begin with, it is difficult for me to paint on a small canvas.

When I sculpt I miss color, and when I paint I miss volume. These three factors: space, paint and material, brought me to begin attaching my own frames as an extension of the painting.

Simply visualizing the commencement of something new fed my blood and mind.

Mi primer trabajo siguiendo este concepto fue:

My first work following this concept was:

El Vaticano
Óleo sobre tela y madera tallada, 97x66cm, 2004

The Vatican
Oil on canvas and carved wood, 38x26", 2004

En el caso de **Deshilvanando**, incorporo elementos tridimensionales: el hilo y los

dedos de los pies que salen del cuadro y se apoyan en el marco.

En esta obra me relaciono con el tiempo, con el desenredar mi propia historia.

In the case of **Unravel** I introduce three-dimensional objects: the thread and

toes emerge from the painting and rest on the frame.

In this work, I connect myself with time, the unraveling of my own history.

Deshilvanando

Técnica mixta, 127x97cm, 2004

Unravel

Mixed media, 50x38", 2004

Tocado por el pasado

Técnica mixta, 142x 91cm, 2008

Touched by the past

Mixed media, 56x36", 2008

El joven soldado

Técnica mixta, 127x64cm, 2008

Young soldier

Mixed media, 50x25", 2008

El soldado

Técnica mixta, 122x89cm, 2008

The soldier

Mixed media, 48x35", 2008

El Papa (participación en su propia muerte)

Óleo sobre tela y madera tallada, 117x157cm, 2005

The Pope grieving

Oil on canvas and carved wood, 46x62", 2005

Estampilla "Juan Pablo II"

Técnica mixta, 117x122cm, 2010

Stamp "Jean-Paul II"

Mixed media, 46x48", 2010

Actualmente a mis hijos les estoy dejando trabajos no solamente más grandes sino también más pesados y difíciles de movilizar.

Nowadays I am not only leaving my children with large works, but also pieces that are heavier and more difficult to move.

Senior Care Center

In January 2009, I spent two weeks at a Senior Care Center. It was not for my welfare, but for my mother's, who was 85-years-old at the time.

She lives in Argentina and in December 2008, she decided to travel to Israel to attend the wedding of one of her grandchildren. That was not the first time she had travelled after my father's death. She was used to couch-hopping or backpacking (traveling *de mochilera* as my sisters and I say), and staying at friends' houses. However, this time the idea of her traveling like that did not feel right to my sisters and me. In spite of our warnings, she made her trip to Israel, attended the wedding and a few days later had a heart attack.

Thanks to her excellent physical condition, she survived an open-heart surgery and recovered quickly.

After spending a few days in the hospital in Israel, she was transferred to a Senior Care Center where she received medical care and attention. Being the only daughter who spoke Hebrew, I kept her company at the residence. This experience sparked a new theme, which had already been germinating in my mind for a few months: the process of aging.

Due to the medication, at first my mother was rather incoherent, but with the passing of time her words became clearer when she spoke in her dreams.

She usually talked about the past, about a time that had a significant effect on me. (More than once I had to rush out of the room, shocked by those memories). This made me think that it is possible to set our minds back and track those moments that had affected our development.

The day came when my mother was discharged from the home and we had to say good-bye to every one, she was all smiles and happy, while I was sad and crying. I had become very fond of the nurses and the seniors who were living the last days of their lives there, showing the marks that time had left on them. When I returned home, I realized that the first work I produced had had its origin before the trip.

What is interesting about this experience in the Senior Care Center is that it not only provided deeper contemplation on a subject that I was already exploring, as if something had been serendipitously pointing to it, but it also made me quite conscious about the reality of aging.

Hogar de ancianos

En enero de 2009 me interné en un hogar de ancianos durante más de dos semanas. No lo hice porque lo necesitara para mí, sino por mi madre quien, por entonces, ya tenía 85 años.

Ella vive en la Argentina y en diciembre de 2008 decidió viajar a Israel para participar del casamiento de uno de sus nietos. No era la primera vez que viajaba después de la muerte de mi padre. Estaba acostumbrada a hacerlo "de mochilera", como decimos con mis hermanas, parando en casas de amigos. Sin embargo, esta vez nos parecía que no era buena idea moverse tanto a su edad. Pero, a pesar de nuestros reparos, mi madre hizo su viaje a Israel; fue al casamiento y a los pocos días sufrió un paro cardíaco.

Gracias a su excelente estado físico, superó la operación a corazón abierto y mejoró.

Luego de pasar unos días internada en el hospital israelí, fue trasladada a un hogar de ancianos para recibir cuidados y atención médica. Como soy la única de sus hijas que habla hebreo, me hice cargo de ir a acompañarla.

Esta experiencia me disparó un nuevo tema que, de alguna manera, ya estaba germinando en mi mente desde hacía unos meses: la vejez.

Al principio, afectada por los medicamentos, mi madre divagaba y hablaba incoherencias. Pero, a medida que pasaron los días, sus palabras entre sueños se hicieron más claras. Hablaba del pasado y de una época de su vida que a mí me había marcado mucho (más de una vez tuve que salir de la habitación atormentada por esos recuerdos). Esto me hizo pensar en que es posible hacer retroceder la mente en búsqueda de marcas que hayan afectado nuestro desarrollo.

Cuando llegó el día de su alta médica y tuvimos que despedirnos de todos, mi madre estaba feliz y sonriente, mientras que yo lloraba de tristeza. Me había encariñado con las enfermeras y con los viejitos que pasaban allí los últimos capítulos de sus vidas, algunos mostrando las marcas que les había dejado el tiempo.

Lo interesante de esta experiencia en el hogar de ancianos es que no solo me motivó a un nuevo entendimiento de este tema, que había comenzado unos meses antes de mi viaje —como si algo me lo fuera indicando— sino que también me dejó muy consciente de lo que es la vejez.

En **Envejeciendo con gracia**, la pollera está inspirada en un grupo de jóvenes religiosos que vi en el aeropuerto de Israel, esperando el vuelo que me traería de vuelta a los Estados Unidos. En un momento dado, estos jóvenes empezaron a cantar a viva voz canciones jasídicas. Haciendo gala de su rebeldía, cuanto más la gente les pedía que bajaran la voz, más fuerte cantaban y bailaban. A pesar de lo ruidosos que resultaron, disfruté viendo cómo volaban los *tzitziot*, y eso fue lo que me inspiró.

In **Aging gracefully** the skirt was inspired by a group of religious youths I saw at the airport in Israel, while waiting for the flight that would take me back to the United States. At any given moment, they would begin to unabashedly chant Hasidic songs. Showing revelry, the more they were asked to lower their voices, the more loudly they sang and danced. No matter how noisy they were, I really enjoyed watching their *tzitziot* flying, and that was what inspired me.

La vejez llama

Madera tallada, 30x61cm, 2010

The call of age

Carved wood, 12x24", 2010

Si la experiencia en el hogar de ancianos, como pensé en algún momento, fue fuerte, no se puede comparar con lo que ocurrió algo después. Al poco tiempo de mi regreso de Israel, decidimos con mi esposo hacer una visita a mi hija Shir Ly, que vive en Oregon. Ella estaba embarazada de cinco meses y disfrutamos juntos de tres hermosos días. Apenas unas horas después de nuestro regreso a casa, recibimos un llamado de mi yerno Laurence diciendo que Shir había roto bolsa y se hallaba internada. Las posibilidades de llevar a buen término un embarazo tan prematuro en esas condiciones eran muy pocas. Había perdido casi todo el líquido amiótico y continuaba filtrando a través de una herida en la pared del útero. Le indicaron reposo absoluto. Inmediatamente tomé el primer avión de vuelta a Oregon. Mi yerno y yo prácticamente nos internamos con ella durante meses.

De esta experiencia, nació este bordado con la imagen de mi abuela paterna y este poema:

The experience at the old-age home was very intense indeed, but it can't be compared with what happened some time later. A short time after I had returned from Israel, my husband and I decided to visit our daughter Shir Ly, who lives in Oregon. She was five months pregnant and together we enjoyed three beautiful days. No sooner had we come back than we received a call from Laurence, my son-in-law, saying that Shir's water had broken and she was in the hospital. There were very few chances of carrying out her pregnancy successfully. She had lost practically all of the amniotic fluid and was constantly leaking the new fluid created through a tear in the uterine lining. She was prescribed hospitalized bed-rest. I immediately flew back to Oregon, and Laurence and I practically lived in the hospital with her for two months.

This experience inspired this embroidery with the image of my paternal grandmother and this poem:

El rezo

Le recé a mis antepasados
y escucharon mi llanto.

Les bordé un manto
y escucharon mi canto.

Es así como nació Elán,
rezando en su cuna,
bordándole un manto.

Su bracito hinchado,
su piecito doblado,
su ojo golpeado,
su aire bloqueado.

Rezando en su cuna,
bordándole un manto.

The prayer

I prayed to my ancestors
and they heard my cry.

I embroidered a blanket
and they heard my song.

That's how Elan was born,
praying by his cradle,
embroidering him a mantle.

His little arm swollen,
his little foot crooked,
his eye bruised,
his breathing blocked.

Praying by his cradle,
embroidering him a blanket.

El rezo

Bordado sobre tela, en proceso

The prayer

Embroidery in fabric, in progress

El 31 de mayo de 2009, nació Elán y con él un poema, un bordado y una nueva escultura. Hoy tiene dieciocho meses, está hermoso y completamente sano. La respuesta a mis rezos.

Elan was born on May 31, 2009, and with him an embroidered mantle, a poem and a new sculpture. Today he is eighteen months old, a beautiful and completely healthy boy. The answer to my prayers.

El rezo

Técnica mixta (en proceso)

The prayer

Mixed media (in progress)

I constantly challenge my limits when it comes to art.

My current focus leans toward installation art. I am passionate about the idea of capturing a moment: something in motion that tends to disappear with time, or that takes place only in a bounded time period. I am focusing on working with different elements —layering and transparency, use of lighting, etc.— always in three dimensions and in certain cases including audience participation.

I have always worked completely independently and isolated from everything. Today I have started to work on some projects in collaboration.

I don't know where this new course will take me, but it is definitely worth trying. Just as I have done when I ventured in writing this book.

I want to apologize to my readers as I am an artist, not a writer, so this book may be rather simple. However, I believe the stories associated with my works may result valuable.

It never occurred to me to turn this book into a personal memoir. The aim was to show and explain the origin of some of my work. This year I have stopped being retrospective to become Here and Now.

Constantemente desafío mis límites en lo que al arte se refiere.

Mi enfoque actualmente se dirige a armar lo que se conoce como "instalaciones". Me apasiona la idea de capturar el momento: algo que está en movimiento e inevitablemente va desaparecer o que transcurre sólo en un período de tiempo acotado.
Me estoy enfocando en trabajar con distintos elementos —superposiciones, transparencias, juegos de luces, etc.— siempre tridimensionalmente y a la vez, en ciertos casos, haciendo participar al público.

Siempre trabajé totalmente sola y aislada de todo. Hoy en día he comenzado a participar en ciertos proyectos en equipo.

No sé adónde me va a llevar este nuevo rumbo, pero definitivamente vale la pena probarlo. Tal como lo hice cuando me aventuré a escribir este libro.

Quiero pedir perdón a mis lectores. Puesto que soy una artista plástica y no una escritora, puede que este libro adolezca de cierta simpleza, pero creo que resultan valorables las historias asociadas a la creación de las obras.

En ningún momento me plantée hacer un diario sobre mi vida. Mi idea era mostrar y explicar cómo nacieron algunos de mis trabajos. Y en este último año dejo de ser retrospectiva para ser el Hoy y el Ahora, el nacimiento directo de la obra.

Van mis especiales agradecimientos a mis padres, por darme Amor y Libertad.

A todos aquellos que me brindaron cariño.

A Elsa Serra, por apoyarme a escribir mis historias incluso antes de saber yo misma que terminarían en un libro.

A Leticia Stivel, por la diagramación y por su noble dedicación profesional.

A mis hijos Ari y Shir Ly, por darle forma a mis sueños. Y a mi marido, por el apoyo de toda una vida.

A todos ellos, gracias.

A special thanks goes to my parents, for giving me Love and Freedom.

To all those who offered me their affection.

To Elsa Serra, who encouraged me to write my stories, even before I knew that they would end up in a book.

To Leticia Stivel, for the layout and for her noble and professional dedication.

To my children Ari and Shir Ly, for giving shape to my dreams. And to my husband for his support of a lifetime.

To all of them, thank you

Beneath the surface

I can feel the battle eve
when everything is calm,
and the water below
flows the opposite direction.
Fishing flies fly, living dead.
But it is me who I cannot see.

Monica S. Camin

Biography

Monica S. Camin, the daughter of two German-Jews who found refuge from the Third Reich in Argentina. She was born and raised in Buenos Aires, moved to Israel in 1971, to the United States in 1980, and currently lives and works in Monmouth County, NJ.

Camin's artistic career began as a child when she assisted her father with his copper repoussé and started art school at the age of 13. She received formal training at the Paula A. Sarmiento Art Acadamy, Olivos, Argentina, with the painter Margarita Seizing and later at the Manuel Belgrano Art University, Buenos Aires, Argentina. Her education continued with sculpture courses taken with Sidney Simon at Arts Students League, NY, NY and at the New School, NY, NY where she studied under Chaim Gross.

Camin has exhibited nationally and internationally.
Select notable solo exhibitions include the Elliot Museum, Martin County, FL (2005); *Series of Letters*, Perth Amboy Gallery Center for the Arts, Perth Amboy, NJ (2004); *Esculturas y Óleos: Monica S. Camin*, Centro Cultural General San Martín, Buenos Aires, Argentina (1989-90); *Monica S. Camin: Painting & Sculpture*, Jadite Galleries, New York, NY (1989) and Pindar Gallery, New York, NY (1988).
Camin has also participated in numerous group shows including *Art Connections 7*, George Segal Gallery at Montclair State University, NJ (2011); Broadfoot & Broadfoot Gallery, New York, NY (2010); Monmouth County Arts Council Annual Juried Art Show, Monmouth Museum (2009, 2007,2006, 2003, 2002); *Shelters*, Mary Lou Zeek Gallery, Salem, OR; *Art 4 Business Inc*, Novartis Pharmaceuticals, Philadelphia, PA (2007); James Howe Gallery, Kane University, Union, NJ (2005); *Transcultural New Jersey: Four Visions*, Bergen Museum, Bergen County, NJ; *Celebrating the Culture and Heritage of the Andes*, Perth Amboy Gallery Center for the Arts, Perth Amboy, NJ (2004) and *The Visual Imaginary of Latinos/as in New Jersey*, Mason Gross School of the Arts Galleries, Rutgers University, New Brunswick, NJ and Kenkeleba Gallery, New York, NY (2002).
In addition to her solo shows at Centro Cultural General San Martín, Camin has had an international presence in shows at the Museo Sivori of Art and Teresa Nachman Galeria, Buenos Aires, Argentina and at the Askelon Cultural Center, Askelon, Israel.
Camin has been featured in *Studio Visit Magazine*, Summer 2010; *Sunday Star Ledger* (2005); "Artists speaking out on aesthetics, multicultural issues and the politics of representation", *New Jersey Network* (2002); among other publications.
Her work is included in Collections at Perth Amboy Gallery Center for the Arts, Perth Amboy, NJ; Center for Latino Culture, Rutgers University, New Brunswick, NJ and various private collections nationally and abroad.

Biografía

Mónica S. Camin es hija de judíos alemanes que se refugiaron en la Argentina durante el nazismo. Nacida y criada en Buenos Aires, se trasladó a Israel en el año 1971 y posteriormente a los Estados Unidos en 1980. Actualmente reside y trabaja en el estado de Nueva Jersey.

Su carrera artística comienza desde niña ayudando a su padre a repujar el cobre. A los 13 años toma clases de arte en la escuela Paula A. de Sarmiento en Olivos con la pintora Margarita Seizing y prosigue sus estudios en la Escuela de Bellas Artes Manuel Belgrano. Más tarde continúa formándose tomando clases de escultura con Sidney Simon en el Art Student League de Manhattan, Nueva York, y con el escultor Chaim Gross en la escuela de Arte New School.

Ha expuesto a nivel nacional e internacional.

Algunas de sus muestras individuales más resonantes incluyen el Museo Elliot en el condado Martin, Florida (2005); *Series of Letters*, en la Galería Centro por las Artes de Perth Amboy, Nueva Jersey (2004); *Esculturas y Óleos: Mónica S. Camin*, en el Centro Cultural San Martín de Buenos Aires (1989-90); *Mónica S. Camin: Painting & Sculpture* en las Galerías Jadite de Nueva York (1989) y en la Galería Pindar, Nueva York (1988).

Camin también ha participado en numerosas muestras grupales: como *Art Connections 7*, en la Galería George Segal de la Universidad Estatal de Montclair, Nueva Jersey (2011); Galería Broadfoot & Broadfoot, Nueva York (2010); Exhibición Anual del Consejo de Arte del Condado de Monmouth, Museo Monmouth (2009, 2007, 2006, 2003, 2002); *Shelters*, en la Galería Mary Lou Zeek de Salem, Oregon; *Art 4 Bussiness Inc,* en la corporación Novartis Pharmaceuticals en Filadelfia, Pensilvania (2007); en la Galería James Howe de la Universidad Kean de Union, Nueva Jersey (2005); *Nueva Jersey Transcultural: Cuatro Visiones*, en el Museo Bergen de Bergen, Nueva Jersey; *Celebrando la Cultura y la Herencia de los Andes*, en la Galería Centro por las Artes de Perth Amboy, Nueva Jersey (2004) y *El Imaginario Visual de los Latinos/as en Nueva Jersey*, en las Galerías de la Escuela de las Artes Mason Gross, Universidad Rutgers, New Brunswick, Nueva Jersey, y en la Galería Kenkeleba de Nueva York (2002).

Además de sus muestras individuales en el Centro Cultural San Martin, Camin tuvo presencia internacional en exhibiciones del Museo Sívori y la Galería Teresa Nachman de Buenos Aires y en el Centro Cultural Askelon de Israel.

También su nombre ha figurado en diferentes medios, como la revista *Studio Visit Magazine*, verano de 2010; el diario *Sunday Star Ledger* (2005); y "Artistas opinando sobre estética, cuestiones multiculturales y las políticas de representación", en la cadena de televisión *New Jersey Network* (2002).

Su trabajo está incluido en colecciones de la Galería Centro por las Artes de Perth Amboy, Nueva Jersey, del Centro para la Cultura Latina de la Universidad Rutgers, New Brunswick, Nueva Jersey, y en varias colecciones privadas de los Estados Unidos y el exterior.

Por debajo de la superficie

Puedo sentir la víspera
de la batalla,
cuando todavía todo
está en calma
y el correr de las aguas
en dirección contraria.
Al vuelo la línea de la caña,
vivir ya muerto.
Pero es mi ser el que no veo.

Mónica S. Camin

Línea de tiempo

Historia mundial

Siglo XVI al XIX Durante el período colonial español, judíos de Francia y otras partes de Europa Occidental comienzan a instalarse en la Argentina, estableciendo la primera corriente de asentamientos judíos en la región.

1914-18 La Primera Guerra Mundial se convierte en uno de los conflictos más sangrientos de la Historia, caracterizado por el genocidio, las hambrunas, el combate cuerpo a cuerpo y bombardeos aéreos a gran escala. Deja un número estimado de 6,8 millones de víctimas civiles y otros 9 millones de militares muertos.

1917 Con la Revolución Rusa cae la autocracia zarista y se crea la Unión Soviética. De ahí en adelante, esta ola revolucionaria afecta a varios otros países europeos, especialmente Alemania y Hungría.

1918 Una pandemia de gripe se disemina por el mundo, causando la muerte de 50 millones de personas.

1919 El 28 de junio, al término de la Conferencia de Paz de Paris, se firma el Tratado de Versalles entre Alemania, Francia, Italia, Inglaterra y otras potencias aliadas, determinando el fin de la Primera Guerra. Según este tratado, Alemania es forzada a asumir su responsabilidad por la guerra y a pagar grandes compensaciones económicas. Otra cláusula incluida en el tratado determina la creación de la Liga de las Naciones. A pesar de la activa campaña de apoyo efectuada por el presidente Woodrow Wilson y la Liga de las Naciones, la cámara de senadores de Estados Unidos se niega a ratificar el Tratado de Versalles y a convertirse en miembro de la Liga.

1921 Estados Unidos finaliza negociaciones por la paz con Alemania. Al mismo tiempo, las medidas sobre inmigración del gobierno estadounidense impiden la entrada de judíos provenientes de Europa Oriental. Pese a que el Congreso no ratifica el Acta de Restricción de la Inmigración hasta 1924, esta ley prohíbe la llegada de inmigrantes de Asia y Europa Oriental.

1933 Hitler toma el control de Alemania.

1933-39 355.278 judíos alemanes y austríacos deben evacuar sus hogares. 80.860 judíos polacos se refugian en Palestina. 51.747 judíos europeos llegan a la Argentina, Brasil y Uruguay.

1937 El gobierno británico regula las restricciones a la inmigración, permitiendo la entrada de 10.000 judíos cada año entre 1940 y 1944, a los que se suman 25.000 judíos refugiados en situación de emergencia.

1938 El 9 y 10 de noviembre se desata a través de toda Alemania una violenta corriente antisemita, conocida como *Kristallnacht* o la Noche de los Cristales Rotos. Instigada por los dirigentes del partido Nazi, soldados y miembros de la juventud hitleriana destruyeron los vidrios de las ventanas de sinagogas, casas y negocios de judíos.

1938-40 Miles de niños judíos refugiados de la Alemania Nazi son rescatados gracias al *Kindertransport*, que los traslada hacia Gran Bretaña.

1938-45 Se ejecuta el exterminio metódico de 6 millones de judíos en toda Europa.

La mayoría de las potencias mundiales —potencias económicas, industriales y científicas— se ven envueltas en la Segunda Guerra Mundial. El conflicto dura seis años y se convierte en el más sangriento de la historia de la humanidad, cobrándose un estimado de entre 50 y más de 70 millones de víctimas.

1945 A través de las Naciones Unidas, 51 países se comprometen a mantener la paz y la seguridad mundial, a desarrollar relaciones amistosas entre las naciones y a promover el progreso social, las mejoras en la calidad de vida y el respeto de los derechos humanos.

1947 Las Naciones Unidas aprueban la creación de un Estado Judío y un Estado Árabe en el territorio británico de Palestina.

1948 El 14 de mayo, Israel se declara como un estado judío independiente y es aprobada su membresía en las Naciones Unidas. El 15 de mayo comienza el conflicto árabe-israelí cuando Siria, Transjordania, Líbano y Egipto invaden Israel horas después de su creación.

1948-49 Un número estimado de 250.000 sobrevivientes del Holocausto emigran a Israel.

Historia argentina

1816 El 9 de julio, la Argentina se independiza de España.

1850 Comienza la segunda ola de inmigración judía en la Argentina.

1896 Theodor Herzl, padre del sionismo publica *Der Judenstaat (El Estado de los judíos)* y propone a la Argentina como posible locación para un Estado Judío.

1906-12 Cada año llegan 13.000 judíos a la Argentina, provenientes principalmente de Europa Occidental, pero también de Marruecos y del Imperio Otomano.

1920 La comunidad judía en la Argentina ya comprende más de 150.000 personas.

1938 El gobierno argentino impone nuevas regulaciones que acotan severamente el flujo de judíos que ingresa al país.

1946 Juan Domingo Perón asume la presidencia de Argentina. Durante su gobierno se les da refugio a miles de nazis criminales de guerra. Pese a esto, la comunidad judía no es afectada por ninguna acción antisemita y se desarrolla cultural, social y económicamente en un ámbito de relativa prosperidad.

1949 Juan D. Perón establece relaciones diplomáticas con Israel.

Historia de la artista

1914-18 Samuel Schiff, el abuelo paterno de Mónica S. Camin, participa en la Primera Guerra Mundial, donde se hace amigo de un hombre a quien salva la vida tres veces. Este hombre resultará ser un oficial de alto rango de las SS en la Segunda Guerra.

1935-38 Sally Watermann, el abuelo materno de Mónica, cierra su negocio en Marienhafe, Alemania, debido a la agresión de los Nazis. Los Watermann se trasladan a Hamburgo y dos años más tarde emigran a la Argentina. Helena Watermann, madre de Mónica, tiene 14 años cuando llega a Buenos Aires.

1938 Herbert Schiff, padre de Mónica, abandona Alemania junto a su padre Samuel, portando visas para entrar al Paraguay, pero terminan estableciéndose en la Argentina.

1941 El miembro de las SS (de nombre desconocido), antiguo amigo de Samuel Schiff, ayuda a Rosetta y Rudolf Schiff —abuela y tío de Mónica— a salir de Alemania. Ambos escapan con rumbo a España en el último barco mercante que parte de Alemania.

1942 Rudolf y Rosetta Schiff se establecen finalmente en la Argentina con su familia.

1949 Rita Mónica Schiff —actualmente Mónica S. Camin— nace en Buenos Aires el 6 de octubre.

| 1950 | 1960 | 1970 | 1980 | 1990 | 2000 | 2010 |

1989 Cae el Muro de Berlín, que separaba Alemania Oriental de Alemania Occidental. Comienza el proceso de reunificación germana.

1990 La Unión Soviética abre sus fronteras a 3 millones de judíos soviéticos. Se estima que cientos de miles de ellos emigran a Israel.

2001 El 11 de septiembre, la organización terrorista Al-Qaeda comete una serie coordinada de ataques suicidas en los Estados Unidos matando a casi 3.000 civiles. Los Estados Unidos y sus aliados responden este ataque con el lanzamiento de la Guerra Contra el Terror, cambiando la psicología política del mundo.

1955 El gobierno de Juan D. Perón es derrocado por los militares, lo que genera conflictos económicos, políticos y sociales, incluyendo secuestros y actos vandálicos en sinagogas y cementerios judíos.

1960 Un comando israelí del Mossad secuestra en Buenos Aires a Adolf Eichmann, oficial Nazi notorio por ser uno de los máximos ejecutores del Holocausto. Eichmann es llevado a Israel, enjuiciado y condenado a muerte. Esto despierta fuertes campañas antisemitas en la Argentina.

1960-64 Más de 45.000 judíos de la Argentina emigran hacia Israel.

1973-76 Juan D. Perón es reelecto presidente de la Argentina. A su muerte, su vicepresidenta, Isabel Martínez de Perón, asume el gobierno, hasta que es derrocada por los militares.

1976-83 Argentina vive bajo el brutal gobierno militar de facto. Estos son los años de la Guerra Sucia, donde miles de ciudadanos son perseguidos y secuestrados y torturados por los militares. Fueron calificados como "desaparecidos".

1983 Raúl Alfonsín es elegido presidente de la Argentina en elecciones democráticas.

1988 El Congreso argentino aprueba una ley condenando el racismo y el antisemitismo.

1989 Carlos Saúl Menem es electo presidente de la Argentina.

1992 La Embajada de Israel en la Argentina sufre un atentado terrorista en el que mueren 29 personas.

1994 Estalla una bomba en la Asociación Mutual Israelita Argentina (AMIA), dejando un saldo de 85 muertes y más de 200 heridos.

2006 La justicia argentina acusa a siete ex-oficiales de alto rango del ejército iraní y a un miembro líder de Hezbollah de estar implicados en el atentado a la AMIA en Buenos Aires.

2011 Aproximadamente 250.000 judíos viven en Argentina, conformando la colectividad más numerosa de América Latina y la tercera en todo el Continente. La mayoría de ellos son descendientes de inmigrantes provenientes de Europa.

1963-67 Mónica se educa en las artes con la pintora Margarita Seizing en la Academia de Arte Paula A. Sarmiento, en la localidad de Olivos, Buenos Aires, Argentina.

1968-71 Mónica concurre a la Escuela de Bellas Artes Manuel Belgrano, en Buenos Aires, Argentina.

1970 Mónica se casa con Carlos G. Camin. Emigran a Israel un año después.

1980 Mónica S. Camin se establece en los Estados Unidos junto a su familia.

1984-87 Mónica S. Camin continúa su instrucción artística tomando clases de escultura con Sidney Simon en la Liga de Estudiantes de Arte de Nueva York (1984-87) y cursos con Chaim Gross en la New School de Nueva York (1987).

2005 Helen Schiff es invitada junto a sus descendientes a participar de una reunión de judíos provenientes de una región del norte de Alemania. El evento es convocado por el Gobierno local. Allí se erige un monumento conmemoratorio por todos los judíos que hubieran debido ser enterrados en el cementerio de esa región. Mónica, junto a su hija y una de sus hermanas, acompaña a Helen en el viaje. Aproximadamente 40 judíos participaron, representando a cinco países: Argentina, Inglaterra, Israel, Sudáfrica y los Estados Unidos.

Fuentes: Enciclopedia del Holocausto: www.ushmm.org/wlc/en/ y Biblioteca Virtual Judía: www.jewishvirtuallibrary.org

Timeline

World History

16th through 19th Century During the Spanish colonial period, Jews from France and other parts of Western Europe begin to settle in Argentina, creating the first wave of Jewish settlements in the region.

1914-18 World War I becomes one of the bloodiest conflicts in recorded history characterized by genocide, food shortages, ground combat, and large-scale air bombings. The conflict results in an estimated 6.8 million civilian fatalities and an additional 9 million deaths of military personnel.

1917 The Russian Revolution destroys the Tsarist autocracy, leading to the creation of the Soviet Union. A revolutionary wave rolls in many other European countries from 1917 onwards, most notably Germany and Hungary.

1918 A flu pandemic spreads throughout the world killing an estimated 50 million people.

1919 On June 28th, following the Paris Peace Conference, Germany, France, Italy, Britain, and other Allied Powers sign the Treaty of Versailles, officially ending World War I. According to the treaty, Germany is forced to accept full responsibility for the war and to pay heavy economic reparations. The treaty also includes a clause to create the League of Nations. Despite President Woodrow Wilson's active campaigning in support of the Treaty of Versailles and the League of Nations, the US Senate refuses to ratify the treaty and to allow the US to become a member of the League.

1921 The United States finalizes peace negotiations with Germany. At the same time the US government's immigration reforms effectively excludes admission of Eastern European Jews. However, Congress does not ratify the Immigration Restriction Act until 1924. This legislation bans immigration to the United States from Asia and Eastern Europe.

1933 Hitler takes over Germany.

1933-39 355,278 German and Austrian Jews are forced to flee their homes. 80,860 Polish Jews immigrate to Palestine. 51,747 European Jews arrive in Argentina, Brazil, and Uruguay.

1937 The British government institutionalizes limitations on Jewish immigration— allowing for 10,000 Jewish immigrants each year between 1940 and 1944 with an additional 25,000 Jewish refugees who are in a state of emergency.

1938 A surge of violent anti-Jewish acts referred to as Kristallnacht or the 'Night of Broken Glass', takes place on November 9th and 10th throughout Germany. Instigated primarily by Nazi Party officials, soldiers, and Hitler Youth. Kristallnacht owes its names to the shards of shattered glass that lined German streets from windows of synagogues, homes, and Jewish-owned business plundered and destroyed during the violence.

1938-40 Thousands of refugee Jewish children are rescued from Nazi Germany and brought to Great Britain through Kindertransport.

1938-45 Across Europe, the methodical extermination of six million Jews is carried out.

1939-45 A majority of the world's nations —and much of the world's economic, industrial, and scientific powers— are engaged in World War II. The six-year conflict becomes the deadliest of human history with an estimated 50 million to over 70 million fatalities.

1945 51 countries committed to maintaining international peace and security, developing friendly relations among nations and promoting social progress, better living standards, and human rights form the United Nations.

1947 The United Nations approves the creation of a Jewish State and an Arab State in the British mandate of Palestine.

1948 In May 14th, the State of Israel declares itself an independent Jewish State and the United Nation approves Israel as a member state. On May 15th, the Arab-Israel War begins with Syria, Transjordan, Lebanon, and Egypt invading Israel hours after its inception.

1948-49 An estimated 250,000 Holocaust survivors immigrate to Israel.

Argentinian History

1816 July 9th Argentina gains independence from Spain.

1850 A second wave of Jewish immigration to Argentina begins.

1896 Theodor Herzl, father of Zionism, publishes *Der Judenstaat (The State of the Jews)* and proposes Argentina as a possible site for a Jewish state.

1906-12 13,000 Jews immigrate to Argentina each year, primarily from Western Europe, but also from Morocco and the Ottoman Empire.

1920 More than 150,000 Jews are living in Argentina.

1938 New regulations are imposed by the Argentinean government that severely curtails the flow of Jewish immigration to the country.

1946 Juan Domingo Peron assumes the presidency in Argentina. Peron's administration provides refuge to thousands of Nazi war criminals. Despite this, the Jewish community is not affected by waves of anti-Semitism and a culture of social and relative economic prosperity is fostered.

1949 Juan D. Peron establishes diplomatic relations with Israel.

Artist's History

1914-18 Samuel Schiff, Monica S. Camin's paternal grandfather, takes part in World War I where he befriends a fellow soldier whose life he will save three times. Later on, during World War II, this same soldier will serve as a high-ranking officer within the German SS organization.

1935-38 Sally Watermann, Monica's maternal grandfather, immediately shuts down his shop in Marienhafe, Germany upon an aggressive visit from Nazis. The Watermanns relocated to Hamburg and two years later immigrate to Argentina. Helena Watermann, Monica's mother, is 14 years old upon arriving in Buenos Aires.

1938 Herbert Schiff, Monica's father, leaves Germany with his father, Samuel Schiff, with visas for Paraguay; they end up settling in Argentina.

1941 The unnamed SS officer and former friend of Samuel Schiff, helps Rudolf and Rosetta Schiff, Monica S. Camin's uncle and grandmother, escape Germany to Spain on the last ship allowed departure from Germany.

1942 Rudolf and Rosetta Schiff finally settle in Argentina with their family.

1949 Rita Monica Schiff (now Monica S. Camin) is born in Buenos Aires on October 6th.

1989 The Berlin Wall, separating communist East Germany and West Germany collapses. German reunification begins.

1990 The Soviet Union opens its borders for 3 million Soviet Jews. It is estimated that hundreds of thousands of Soviet Jews move to Israel.

2001 On September 11th, the terrorist organization Al-Qaeda commits a series of coordinated suicide attacks in the US, killing nearly 3,000 people. The US and most of its allied countries respond by launching the War on Terror that changes the political psyche of the world.

1955 Peron's government is overthrown by the military, generating economic, political and social conflicts, including kidnappings and vandalism of synagogues and Jewish cemeteries.

1960 An Israeli command in Buenos Aires kidnaps Adolf Eichmann, a Nazi official notorious for being one of the highest executors of the Holocaust. Eichmann is taken to Israel, prosecuted, and sentenced to death. This act incites strong anti-Semitic violence in Argentina.

1960-64 More than 45,000 Jews emigrate from Argentina to Israel.

1973-76 Juan D. Peron is re-elected president of Argentina. Upon his death, the Vice-President, Isabel Martinez de Peron, becomes president until her government is deposed by the military.

1976-83 Argentina is under a ruthless military rule. These are the years of the "Dirty War". Thousands of citizens "disappear" without a trace.

1983 Raul Alfonsin is democratically elected President of Argentina

1988 Argentina's Parliament passes a law against racism and anti-Semitism.

1989 Carlos Saul Menem is democratically elected as President of Argentina.

1992 Israel's Embassy in Argentina is bombed killing 29 people.

1994 The Jewish Community Center (AMIA) in Buenos Aires is bombed killing 85 people and injuring over 200.

2006 Seven former high-ranking Iranian officials and one senior Hezbollah member are indicted in Argentina as suspects involved in the planning and execution of the 1994 bombing of the Jewish Community Center (AMIA) in Buenos Aires.

2011 Approximately 250,000 Jews live in Argentina, comprising the largest Jewish community in Latin America and the third largest in the Americas. A majority of this population are descendents of the European Jewish communities.

1963-67 Monica receives formal training with the painter Margarita Seizing at the Paula A. Sarmiento Art Academy, Olivos, Argentina.

1968-71 Monica attends the Manuel Belgrano Art University, Buenos Aires, Argentina.

1970 Monica marries Carlos G. Camin and moves to Israel within a year.

1980 Monica settles in the United States with her family.

1984-87 Monica's education continues with sculpture courses taken with Sidney Simon at Arts Students League, NY, NY (1984-87) and at the New School, NY, NY (1987) where she studied under Chaim Gross.

2005 Helen Schiff, along with her decendents, is invited to a reunion of German-Jews of the Norden Region of Germany. The trip is organized by the local government and coincides with the unveiling of a new memorial for those Jews who should have been buried in the Norden cemetery. Monica, one of her sisters and her daughter join Helen for the week-long program. Five countries —Argentina, England, Israel, South Africa, United States— were represented by approximately 40 Norden-Jews.

Sources: Holocaust Encyclopedia: www.ushmm.org/wlc/en/ and Jewish Virtual Library: www.jewishvirtuallibrary.org

Índice de las obras

Table of contents